Milton Keynes UK
Ingram Content Group UK Ltd.
UKHW010704220524
443011UK00011B/175/J

9 781953 704351

恵みの味

ロジャー・W・ラウザー

Also published in English as

A Taste of Grace

by Roger W. Lowther

Community Arts Media

www.communityarts.jp

お母さんへ

目次

まえがき

ピアス・テイラー・ヒブス

創造物は響きです。神の愛、調和、創造、恵みが鳴り響く音です。確かに、言葉で表せないほどの苦痛、聞いたことのないような恐怖があります。しかし、不思議なことに、それらは父、子、聖霊なる神の限りない憐れみと恵みを際立たせます。私たちの世界には耳障りな音も心良い音もあります。しかし、すべての音の神が語りかけを反映しています。

「どうして食べ物についての本に音の比喩を使っているのか」と思う方もいるでしょう。この比喩は創造されたあらゆるものにふさわしいのです。味わう物、嗅ぐ物、見る物、聞く物、触れる物。世界

のあらゆる物が神を響かせています。例外はありません。神がそのように世界を作ったからです。（詩篇19・1－4、ローマ1・20）

それでも、私たちには問題があります。私たちの目は日常生活の「ありふれた」物で覆われています。不信仰ゆえ、うろこのような物が使徒パウロの目を覆ったように（使徒9・18）。不信仰の結果が盲目です。人類の悲劇の一つは、神の啓示が見えない状態での生き方を学んでしまったことです。私たちはこの見えない状態が普通だと思ってしまいました。世界が「ただそこにある」という考えを受け入れてしまいました。しかし、聖書の教えは違います。

この本を読むと、世界は思っている以上のものだということが見えてきます。私たちが食べる物は、その多様性と関係の深さのすべてにおいて、単なるモノではありません。この世界の他のすべての物と同様に、それは神の響きです。神は無限に神秘的で、創造的で、美しいので、私たちが調理して食べる物は、神の本質や働きを明らかにすることができます。

あなたが手にしているこの本はいわば挑戦です。目の前の世界を本来の見方で見るという挑戦です。

すべてのものは、きらきら輝く草原のように、神の光を輝かせます。異なるものが一つのハーモニーになります。水のしずく、塩の粒、米、魚、キノコ、これらは単なる食べ物以上のものです。これらは神の啓示のきらめきです。

皆さん、創造物は響きなのです。この本で、皆さんにその響きが少しでも聞こえますように。この本はあなたの耳と目に語りかけます。そして、あなたの舌にも。

ピアス・テイラー・ヒブス

『日常に神を見出す（Finding God in the Ordinary）』著者

イントロダクション

正直に告白したい。私は自分の時間を無駄にするのが大嫌いだ。だから食事にはいらいらすることが多い。買いに行ったり、料理したり、食べたり、片付けたりするのは時間の無駄だ。食事はできるだけ早く終わらせたい。食べながら何か価値のあることをしているなら、かろうじていい。友人と話したり、SNSを読んだり、スマホのアプリを並べ替えたり……。

妻は小麦粉が食べられない体質で、その遺伝子は四人の子供たちに受け継がれた。食事の準備は前より時間が必要になり、注意も必要になった。そして旅行はかなり難しい。特にアジアでは食べられ

る物を探すのはほぼ無理だ。だから、私たち家族にとって旅先での食事は楽しみではなく、面倒なものだ。

このように、食を大切にしているとは言えない私が、なぜ食べ物についての本を書いているのかと思われるだろう。なぜ私があなたの貴重な時間をこれを読むために使わせようとしているのだろうか、と。

それは、私が間違っていたからだ。食べ物とは単なる食べ物以上のものだからだ。日本での19年間の食事を通して、私はあることを学んだ。それは、食事は大切な時間を奪うのではなく、私たちを神へと向かわせるということだ。日本のおいしい料理は、日常生活の中の愛と慈しみに気付かせてくれた。懐石料理、佃煮、漬物、納豆、梅干し……。これらは、来日する前には私にとって何の意味もなかった。今は、ゆっくりと壊れていく世界に命や希望を与えている。

私は、神が日本の人々に語りかけているのを聞く。日本の伝統的な食を通して、私たちは神の美しさと恵みを味わいながら、神に近づくことができる。天国は今ここで味わうことができる場所なのだ。

天国は今ここで味わうことができる場所なのだ。

イエスは「わたしは命のパンである」という言葉で深い真理を述べたのだ。そのメッセージを美味しくいただいて、無駄に見える時間を一緒に過ごそう。

さあ、ご飯ができましたよ。テーブルに集まって食べましょう。

お品書き

会席料理

万軍の主は、この山の上で万民のために、脂の多い肉の宴会、良いぶどう酒の宴会、髄の多い脂身とよくこされたぶどう酒の宴会を開かれる。

イザヤ25・6

その料亭は山の中にあった。闇の中、提灯の弱い赤い明かりが玄関を照らしていた。すぐそばに川の音が聞こえた。建物の中にも二つの小さな滝があった。幼い息子たちは魚の泳ぐいけすをみて歓声を上げげた。手を洗うための大きな石の水槽と柄杓もあった。

着物を着た仲居さんに促されて玄関で靴を脱ぎ、席へ案内された。「父」と「母」はもう着いていた。彼らは、当時日本語学校で勉強している私たち夫婦をお世話してくれていた私の日本の「父」と「母」だ。私たちに「本物の和食」をご馳走してくれるために、招いてくれたのだ。

私たちは座布団の上に座った。テーブルは低くて膝がぶつかりそうだった。

料理は、おまかせのコースで、何が出るかはお楽しみだった。

最初の料理は刺身だった。さきほど玄関で泳いでいた魚だろうか。小さな刺身やイクラに、花や葉がきれいに並べられていた。そして見たことのない山菜。刺身はとても小さく細長い皿に置かれていた。魚の残りの部分はどうするのだろうと気になった。捨ててしまうのだろうか。きっと他の料理にするのだろう。料理も、飾られている花も、店員が着ている着物の柄も、季節を表しているそうだ。

皿が次々と出てきた。汁物、刺身、焼いた小魚、野菜の煮物、天ぷら、茶碗蒸し(プリンかと思ったが甘くなかった)、ご飯と漬物と味噌汁、そして季節の果物。地元の梅酒も楽しんだ。

それぞれの料理について聞きたかったが、当時私の日本語力は足りなかった。しかしすべての食材

に明確に意味があるのだということは理解できた。花、葉、山菜はすぐ隣の山で採られたものだろう。温かい料理は温かく、冷たい料理は冷たかった。

様々な味があり多様性に富んでいた。一つ一つの皿がゆっくりと出されたので、その美しさに集中できた。

その食事には色、味、調理方法、感覚について、それぞれに五つの要素があると後で学んだ。「赤・黄色・緑・黒（紫）・白」の五色、「酸・苦・甘・辛・塩」の五味、「生・煮る・焼く・揚げる・蒸す」の五法、「視・聴・触・味・嗅」の五覚だ。

食べ物がすべて同じ色、味、形だったら、一つの調理法しかなかったら、どんなにつまらないだろう。私たちの世界の食べ物は豊かな多様性がある。すばらしい贈り物だ。

SF映画で未来の人々が薬のカプセルしか飲まないシーンがよくある。でもそうはならないと思う。人間には多様性が必要だからだ。日本の会席料理だけではなく、世界中にはいろいろな食材があり、組み合わせや調理法や食べ方や盛り付け方などには限りがない。

神は私たちに食べ物を通して語りかけている。神はこの世界に多様性を与えられた。私たちは無限の食べ物の種類を見て、神の豊かさを知る。食べ物のおいしさを味わって、神の素晴らしさを感じる。神の素晴らしさを知ったら私たちはもっと神を求めるようになる。

この世界だけではなく、天国にも多様性がある。「十二の実をならせるいのちの木があって、毎月一つの実を結んでいた」（黙示録22・2）。天国では十二の季節がある。季節ごとに、それぞれの果物を楽しめる。

その晩初めて食べた会席料理はおいしく美しいだけではなく、輝かしい感じがした。至福の時だった。食事と会話に夢中になって、時間がたつのも忘れた。

突然、妻が私のほうを向いて息子がいないと言った。

「え?」私は部屋の角を見た。いない!さっきまで息子たちはそこで二人でおとなしく遊んでいたのに、下の息子がいなかった。素晴らしい料理に夢中で気づかなかった。

魚を見るために入り口に戻ったのだろう。急いで行ってみると息子はやはり入り口にいた。しかし、

魚を見ているのではなかった。彼は真面目な顔をして、集中して、石の水槽の柄杓から水をくんで、入口に並んでいた靴に順番に注いでいたのだ。

これはまずい。誰かが見ていないかどうか周りを確認した。誰もいなかったので、急いでこのいたずら小僧を抱えて、テーブルに戻った。

「よかった。何をしてたの?」と妻は言った。

「えっと……」私たちの靴がびしょびしょになったことをどのように言えばいい。「水槽の……」

「え?」

私が謝りながらすべてを告白すると、「父」も「母」も妻も大笑いした。その素晴らしい宴を邪魔するものは何もない。びしょびしょの靴で帰宅することになっても。

1　変わった食べ物を食べたことがありますか。

2　誰かと一緒にした食事の思い出がありますか。

3　会席料理はたくさんの種類の料理が少しずつゆっくりと出されます。一方、種類は少なく、たくさんの量を一度にテーブルに出して楽しむ食事のスタイルもあります。それぞれから、どんな良さ、豊かさを感じますか。

餅

そして、ある者たちはイエスに唾をかけ、顔に目隠しをして拳で殴り、「当ててみろ」と言い始めた。

また、下役たちはイエスを平手で打った。

マルコ14・26

ドン、ドン。

何かを叩く音が響いている。法被《はっぴ》を着てはちまきをした人々が楽しげな声をあげている。笑い声が溢れている。

法被を着た人が私に向かって大きな杵を差し出した。私の番だ。私は受け取ってしっかりと握った。杵はずっしりと重く、年季が入っていた。目の前の大きな臼からは、湯気が上がっていた。人の手を叩かないように気を付けなくちゃ。自分の足も。びくびくしながら杵を頭の上に振り上げた。ドン、ドン。

餅つきは激しいプロセスだ。杵に体重をかけてすべての米の粒をつぶす。それからすごい衝撃で杵を振り下ろす。楽しいイベントだが、手にはまめができ、腰が痛くなる。

しかし、それによってばらばらだった米が一つにまとまりおいしい餅になる。餅は長く保存できる食べ物だ。そして2切れでお茶碗一杯のご飯と同じくらいのカロリーがある。冬に食べると体が温かくなり、力が出る。

餅が強いのは打たれたからだ。餅が長期保存できるのは苦しみを通ったからだ。

私たちは餅のようだ。私たちは何度も打たれ、砕かれている。私たちは痛みに苦しんでいる。

病気、喪失、壊れた関係、破れた夢。怪我をした時、強い痛みを感じた時、ひどいニュースを聞いた時、

気を失うことがあるが、これは体が自然に自分自身を守るためだ。これらのひどいことからは何も生まれないと思いがちだ。しかし、痛みや苦しみは私たちを忍耐強い人間にする。私たちは打たれて成長する。

「私の兄弟たち。様々な試練にあうときはいつでも、この上もない喜びと思いなさい。あなたがたが知っているとおり、信仰が試されると忍耐が生まれます。その忍耐を完全に働かせなさい。そうすれば、あなたがたは何一つ欠けたところのない、成熟した、完全な者となります。」(ヤコブ1・2－4)

私たちは完全になるために必要な試練を受けたいと願うだろうか。もちろん私たちは試練が欲しくない。痛みが欲しくない。しかし、神はこれさえも使うことができる。私たちが「何一つ欠けたところのない、成熟した、完全な者」となるように働かれる。

快適さのなかにいると私たちは成長しない。そのままか、むしろ悪くなる。自己中心的になり、自分だけが正しいと考えるようになる。私たちは成長するために砕かれなければならない。

私はヨブを思い出す。ヨブは子ども、健康、財産、すべてのものを失った。彼はひどく打たれた。しかし、この試練を通して強くなり、神をもっと信頼するようになった。友人のために神にとりなして祈る者になった。


「私はあなたのことを耳で聞いていました。しかし今、私の目があなたを見ました。」（ヨブ42・5）

私はイスラエルの民を思い出す。神はご自身のために彼らを作った。そして荒野の中で彼らの神への信頼は強められた。彼らは餅のように打たれ、神の民として強くなった。

神は私たちのために良いものを備えて下さる。この世界の痛みと苦しみは、意味がないものではない。それによって神への信頼が強まる。

試練は神に近づく機会だ。自分の力ではなく神の力を見ることだ。自分自身ではなく神を仰ぎ見ることだ。試練にあって、自分は弱く力のない者だからできないと考えるのではなく、力のある神を見て神により頼む。

イエスは神を信頼して死んだ。私たちの罪のために打たれた。私たちのために砕かれた。だから、私たちは神を信頼して生きる。苦しむ時、イエスの苦しみを思い出すことができる。イエスの大きな苦しみは、私たちを生かすためだったことを覚えることができる。私たちは苦しみの中で恵みを思い出し、強くされる。

この世界が私たちを臼に叩きつけても、神の恵みによって、私たちは破壊されることはない。餅のようにつかれて、私たちは柔軟になり、イエスに似た者に変えられていく。

「多くの子たちを栄光に導くために、彼らの救いの創始者を多くの苦しみを通して完全な者とされ

たのは、万物の存在の目的であり、また原因でもある神に、ふさわしいことであったのです。」（ヘブル2・10）

私たちが完全なものとなるために必要な苦しみを、イエスも味わった。だからイエスは私たちの痛み、苦しみを分かってくださる。イエスの手足を打つ音がゴルゴタの丘から響いてくる。私たちの住む場所へ、人生へ。どこでも。いつでも。

ドン、ドン。

打つ音が響く。私たちを強くするために。

ドン、ドン。

砕く音が響く。私たちに命を与えるために。

この福音の音は私たちの中に反響する。この音が響くかぎり、苦しみが私たちを破壊することはない。

1 打たれて餅が強くなるように、苦しみを通して自分が良くなるのを経験したことがありますか。

2 イエスが十字架で打たれ、砕かれたことによって、私たちは苦しむ時に希望を持つことができます。十字架は私たちにどのような希望をもたらしますか。

寿司

食事をしているとき、イエスはパンを取り、神をほめたたえてこれを裂き、弟子たちに与えて言われた。
「取りなさい。これはわたしのからだです。」

マルコ14・22

日本では、食事の前に必ず「いただきます」と言う。この小さな言葉にはたくさんの意味合いがある。食事を作ってくれた人から料理をいただく、神から恵みをいただく、そして何よりも、犠牲となった動物や植物の命をいただく、ということだ。

食事のたびに、私たちは他の生き物の命をもらう。ある生き物が生きるためには、他の生き物が死なければならない。食事は犠牲の上に成り立つ。

刺身ほど「いただきます」がふさわしい料理はないと思う。カウンターに座って、板前さんが魚をさばくのを見る。隣の水槽でそれと同じ魚が泳いでいる。牛や豚、鶏とは違って、刺身は魚をさばいてすぐに食べる。そして焼いていないので、魚の命と自分の命がダイレクトにつながっていると感じる。

江戸時代後期、私の東京の住まいから遠くない両国で、握り寿司・江戸前寿司と呼ばれる料理が開発された。酢を混ぜたご飯を握った上に下ごしらえした魚を載せた江戸前寿司はその作り方の速さで人気になった。それまでの寿司は長く発酵させる過程が必要だったが、江戸前寿司はファストフードだった。今日、酢飯、生の魚、わさびというシンプルな材料で作られる江戸前寿司は日本だけでなく海外でも食べられるようになっている。

江戸前寿司を食べる時、私たちのために十字架で死んだ救い主イエスを思い出す。食べ物となった魚は私たちのために犠牲となったイエスご自身。酢は十字架に架けられたイエスに与えられた酢。わ

さびは十字架の鋭い苦しみ。江戸前寿司は食べる福音だ。

「いただきます。」

私は神の美しいいけにえを思いながら、感謝してそれを味わう。

1　刺身と寿司にはどんなイメージがありますか。
2　刺身と寿司の他に、十字架でのイエスの犠牲を思い出すことができる食べ物がありますか。

佃煮

私の子よ、キリスト・イエスにある恵みによって強くなりなさい。

テモテ第二2・1

私私は佃煮で有名な東京都中央区佃に住んでいる。引っ越してきたばかりの時、佃煮を知らなかった。近所の古い小さな店から海産物の匂いがして、魚屋とは違うこの匂いは何だろうと思って中に入ってみた。茶色く小さな物が並んでいた。「味見をしてみますか」と店のおばあさんに勧められて私は一

つ口に入れてみた。味は濃くて、しょっぱくて、少し甘い。初めて食べる味だった。スナック菓子みたいだと思った。店のおばあさんが佃煮はこの地で昔から作られている食べ物だと教えてくれた。

17世紀、大阪の佃村の漁師たちは徳川家康一行に船と保存していた魚を提供し、脱出を助けた。家康は報酬として東京湾の隅田川口の端の島に漁師たちを呼び寄せ、特別な漁業権を与えた。今日でも、大阪の佃と東京の佃のつながりが残っている。息子たちが通っている東京の佃小学校と大阪の佃小学校では、毎年生徒の交流会を実施している。

漁師たちは、魚や貝を塩、砂糖、醤油などで煮た佃煮を作った。日本は高温多湿のために食べ物が腐りやすい。腐敗した食品は死の悪臭を発する。佃煮は食品を腐敗から守る方法だった。佃煮は保存食として大切な食べ物になった。

この世にはたくさんの腐敗がある。衰えていく体、疲れていく心、壊れていく人間関係。どうすれば腐敗や悪臭から自分自身を守ることができるだろうか。

魚が加工されて佃煮という保存食になるように、私たちも腐らないものに作り変えられる。それを

してくれるのは福音だ。

佃煮は、火で具材を煮詰め、その汁の中にしばらく浸して作られる。私たちは苦しみに合いこの世の困難にさらされる。そして福音の中でキリストの犠牲に長く浸され、すべてを耐え、すべてを忍び、キリストの寛容と愛を吸い込む。


「この朽ちるべきものが朽ちないものを着、この死ぬべきものが死なないものを必ず着ることになります。」(コリント第一15・53)

腐らない命を持つものになるために、朽ちるべきものが朽ちないものを着るために、私たちは煮られる必要がある。十字架によって、福音を通して煮らなければならない。この世の脅威、非難、呪いから私たちを守るのは、神の恵みだけだ。

私はこの古い小さな店によく行くようになった。友人が家に来ると、佃煮をふるまい、この町の伝

統を一緒に楽しむとともに神の福音を感じ、味わっている。食べるたびに、もっと味わいたくなるのだ。

1 佃煮は長期保存できるだけでなく、味も良くなります。同じように保存食にすることでもっとおいしくなる食品は何ですか。

2 聖書の「朽ちるべきものが朽ちないものを着る」とはどういう意味だと思いますか。

3 「腐らないもの」になると、私たちはどのようになるのだと思いますか。

4 「腐らないもの」になるために、私たちには何が必要でしょうか。

漬け物

神の国とイエス・キリストの名について宣べ伝えたことを信じて、男も女もバプテスマを受けた。

使徒8・12

小さい時、漬け物といえば二種類しか知らなかった。ディルとブレッドアンドバター。しかし、日本では、たくさんの種類の漬け物がある。たくあん、甘酢しょうが、ラッキョウ漬け、福神漬け、野沢菜漬け、かぶの千枚漬け、浅漬け、奈良漬け、柴漬け……など、名前は覚えきれない。これらを英

語で言おうとすると「pickles」（ピクルス）しかない。なぜ日本にはこんなにたくさんの漬け物があるのだろう。

日本に来てから、妻のアビも家で漬け物を作り始めた。大きなガラス瓶に、きゅうり、にんじん、大根、玉ねぎ、セロリなどの漬け物がいつも用意されている。

漬け物は、すぐに腐敗するこの世界の物を保つ方法だ。湿度の高い日本では食べ物は腐りやすいが、漬け物にすることによって何年も保存することができるようになる。悪い菌を殺し、食物の消化を助けるプロバイオティクスを増やす。免疫力を高め、骨と心血管の健康を守り、筋肉の損失を減らし、高血圧と脳卒中を防ぎ、記憶力を高めることさえもできると言われている。野菜は漬け物にすることでもっとよい食べものに変わる。おそらく、漬け物が多いことは、日本の平均寿命が米国より高い理由の一つだろう。

この世界の悪い菌はいつも私たちを脅かす。人や物に囲まれ、拒絶され、裏切られ、幻滅し、私たちは傷つく。ゆっくりと肉体的に、感情的に、霊的に壊れていく。しかし、希望がある。私たちは違

うものに変わることができる。野菜が漬け物になるように。

紀元前二世紀のギリシャの詩人コロフォンのニカンデルは漬け物のレシピを書き記している。[①]

「カブの根は、やさしく洗って、細かく切って、太陽の下で乾かすか、お湯に浸してから、塩水に漬ける。[②]」

ここで「漬ける」と訳される動詞はギリシャ語で「エンバプティゾ」、バプテスマの語源である。バプテスマは洗うというよりむしろ漬け物を作る過程に似ている。一回洗礼を受けると、私たちは完全に変えられ、何回も漬ける必要はない。漬け物は生野菜には戻らない。もう漬け物だ。そして、洗うのとは違って、自分自身ではできないことだ。へりくだって受けるしかないことだ。

イエス・キリストはバプテスマを受けた。水によってだけでなく、新しくなるために聖霊によってバプテスマを受けた。そして、私たちもキリストに結び合わされるバプテスマを受けることで、キリ

ストのようになる。

私たちは、野菜が漬け物になるようによいものに変えられる。天国ですべては朽ちない美しいものに変えられるのだ。

1 漬物と言えば、どんなことを思い浮かべますか。

2 腐りやすい野菜でも、腐敗から守られる発酵という方法があります。このことは私たちにどんな希望を与えますか。

3 「バプテスマは漬け物を作る過程に似ている」とはどういう意味だと思いますか。

4 「天国ですべては朽ちない美しいものに変えられる」とはどういう意味だと思いますか。

ぬか漬け

私たちは落胆しません。たとえ私たちの外なる人は衰えても、内なる人は日々新たにされています。私たちの一時の軽い苦難は、それとは比べものにならないほど重い永遠の栄光を、私たちにもたらすのです。

コリント第二4・16―17

東京の目黒区にある古い民家を訪れたことがある。家主は、快く私たちに家を案内してくれた。この家で育った頃、周りは田畑しかなかったそうだ。ビルが建ち並ぶ現在の東京からは想像がつかない。ある日、開発業者がやってきて家の周りに新しい真っ直ぐな道や住宅を建設し、彼の家は他の家に囲

まれた。現在その家は二つの家に挟まれ、秘密の場所のようになっている。

家には魅力的なところがいくつもあった。居間の大きな障子を開くと美しい庭が見える。畳の部屋には冬の寒い時期のために伝統的な掘り炬燵があった。電気ではなく熱い炭を使うもので、現在は使用してはいないそうだ。壁には竹が使われ、床の間には美しい掛け軸が飾られていた。二階への階段は狭くてかなり急だった。それぞれの部屋に入るために、身をかがめる必要がある。一度不注意でドア枠に頭を強くぶつけ、大変痛かった。二週間たっても頭のてっぺんにはあざが残っていた。

家主は、最後に台所の床を見せてくれた。

「ここはぬか床を保管しているところなんです。もし火事になったら、必ずこれを持って逃げます。」

「ヌカ……ドコ?」

「ああ、それは母の味を保存している場所ですよ」と彼は笑顔で言った。

母の味?彼は詳しく説明してくれた。ぬか床とは、米ぬかと塩と水を混ぜたものにキュウリやニンジン、大根などの野菜を入れてぬか漬けを作るところだ。毎日かき混ぜないと、カビが生え、発酵が

止まってしまう。私にとって特に面白いのは、必要な酵母はお母さんの手から来るということだ。ひいおばあちゃん、おばあちゃんから代々受け継がれてきた家庭の味。娘は、自分の家庭を持つときに、そのぬか床の一部を持って行き、その伝統を続ける。だからぬか漬けは家庭によって一つ一つ味が違う。

彼の説明を聞きながら、私は、「わあ、まるで私たちの人生における神の働きを表しているようだ」と思った。私たちは皆、ぬか床のような湿気と暗闇の中にいる。神が毎日手を入れてかき混ぜてくださらなければ、私たちの周りはすぐにカビが生え、腐ってしまう。私たちの人生における神の働きによって、私たちは落胆せず、日々新たにされる。私たちは、直面する問題や試練を通して、永遠の栄光に備えることができるのだ。悩みは一人一人違い、だからこそ私たちの人生における神の恵みの味も一人一人違う。

「私たちは落胆しません。たとえ私たちの外なる人は衰えても、内なる人は日々新たにされています。私たちの一時の軽い苦難は、それとは比べものにならないほど重い永遠の栄光を、私たちにもたら

すのです。」（コリント第二4・16－17）

ぬか床で、野菜は閉じ込められ発酵していく。しかしその過程を経ることで、最終的により良いもの、より美味しいもの、より長持ちするものに変わっていく。

神は、すぐに崩れてしまうこの世に、手を差し伸べてくださる。怒りや苦しさ、絶望といったカビが私たちの人生を支配することを防いでくださる。神は、衰えていく私たちが栄光を受ける場所を備えてくださっている。神は、私たちが知ることのできないほど多くの方法で、私たちを守り成長させてくださっている。

ぬか漬けは神のくださる「恵みの味」を思い出させる。一切れ食べるたびに、私たちは天国の家の味を味わい、神が私たちを新しくしてくださっているのを知ることができるのだ。

1　私たちの外なる人を衰えさせるこの世の「カビ」はどのようなものですか。

2　私たちが「日々新たに」される様々な方法はどのようなものですか。

3　この「比べものにならないほど重い永遠の栄光」が完成したあと、どのような姿になると思いますか。

4　恵みの味とは何ですか。私たちの天国の家の味は何だと思いますか。

納豆

イスラエルの子らはこれを見て、「これは何だろう」と言い合った。それが何なのかを知らなかったからであった。モーセは彼らに言った。「これは主があなたがたに食物として下さったパンだ。」

出エジプト16・15

「日本語が上手になりたいなら、やらなければならないことが一つあります」と、日本語学校の先生が真顔で言った。私は身を乗り出した。「納豆を食べること。」

納豆！臭くてネバネバして、口の中で動いてなかなか噛めず、飲み込むのに勇気が必要な、納豆！

「どれくらい食べなければならないのですか」と私は聞いた。

「私は毎朝食べますよ。だから日本語ができるんです。」

来日してカルチャーショックだったことの一つは、スーパーに朝食用のシリアルの種類が少ないことだった。アメリカでは商品棚一杯に、実にたくさんのシリアルがある。私が好きなのは某メーカーの甘くないレーズンブランが入ってライスクリスピーが多めでコーンフレークが入っていないグラノーラに、別のメーカーのカリカリしたコーンとライスのチップスにココナツが入ったものを混ぜてクランベリーと一緒に食べるものだが、日本では見つけることができない。

しかしその代わり、日本のスーパーでは納豆の種類が豊富だ。色々なサイズの色々なメーカーのものがある。パッケージの中が見えずラベルの漢字も読めないので、私には違いが分からない。今日では私も納豆を食べるが、いつも適当に選んでしまう。

この世界には多様性がある。中華料理店、韓国料理店、タイ料理店、イタリア料理店、フランス料理店、ギリシャ料理店などを訪れると、その国の文化、歴史や雰囲気を味わうことができる。私は最初納豆

を拒んだが、だんだん日本の他の食べ物と同様に感謝してよく食べるようになった。そしてアメリカ人の宣教師チームが来ると彼らにも楽しむために食べてもらう。納豆は日本式朝ごはんの定番だから。

納豆は日本の歴史と文化に根ざしている。千年以上前に、旅行者はゆでた大豆の残り物を稲わらで包んだ。数日後、偶然に納豆ができた。納豆は健康にいい。発酵食品なのでプロバイオティクスが消化を助け、免疫力を高める。また、保存期間が長い。納豆だけでなく味噌や醤油のような大豆発酵食品が日本の料理に豊富であることは、日本人の高い平均寿命に関係がある。

納豆は神の働きのすばらしさを思わせる。神はそれぞれの文化に独特の素晴らしいものを与える。土で育てる多くの種類の食べ物をさまざまに調理する方法を与える。その多様性は無限だ。良いものはよりもっと良いものになり、永遠に続くものになる。

納豆を食べても日本語が上手にならないかもしれないが、来るべき天国の味や多様性を少しだけ楽しむことができる。

1　好きではなかった食べ物が好きになったことがありますか。

2　中華料理、イタリア料理など、料理はそれぞれの文化によって特徴があります。それはなぜだと思いますか。

3　天国の料理はどんな料理だと思いますか。

4　この世界の食べ物にこれほど多様性があることは、どのような意義があると思いますか。

キノコ

なんという幸せ、なんという楽しさだろう。兄弟たちが一つになって、ともに。

詩篇133・1

軽井沢の日本語学校で勉強していたとき、森の中をよくハイキングした。土を掘っている人を何度も見た。「何をしているんですか」と私は聞いた。「キノコを採っています。美味しいですよ。」

森に生えているキノコを食べる?アメリカで育った私は、それは毒だから食べてはいけないと何回

も聞かされた。それは間違っているのだろうか。

日本の森にはいろいろな種類のキノコがあり、実際毒キノコもたくさんあるそうだ。しかし彼らは食べられるキノコと毒キノコを見分けることができる。私にはその見分け方は全然わからない。

近所の小さなスーパーにも、たくさんの種類のキノコがある。しいたけ、えのき、まいたけ、なめこ、エリンギ、マッシュルーム、たもぎ、しめじ、ピオッピーノ、まつたけ、くろあわびたけ、きくらげ……。それぞれのキノコには独特の味、食感、形がある。非常に多くの異なる種類があるが英語ではたいてい「マッシュルーム」としか呼ばれていない。日本の暗く、涼しく、湿度の高い環境ではキノコが豊富に生えるので、日本語ではそれぞれのキノコに名前がある。

キノコは種を作って繁殖するものではない。また、他のキノコから生まれるわけでもない。キノコは、目に見えない菌糸体（英：mycelium）からできる。その繊維は高速道路のように必要な水分と栄養を運ぶ。キノコはこのネットワークから「子実体」として生まれる。一つ一つのキノコ同士はこのネットワークに等しく頼っている兄弟のような関係だ。ネットワークがなければ必要な栄養を得られ

ず、たった一つで生き延びることはできない。

私たちはキノコのようだ。人間のネットワークの中で生きる。生まれる前から自分以外の何かに依存していた。私たちのお腹の真ん中にはへそがある。他のものに依存していた印だ。生まれてからは、植物や動物や他の人の働きに依存している。私たちはお互いが必要だ。

このネットワークは神が与えてくださったものだ。神は私たちの成長のためにコミュニティーを作ってくれた。共に交わり、楽しむ恵みが与えられている。「なんという幸せ、なんという楽しさだろう。兄弟たちが一つになって、ともに」（詩篇133・1）。

天国でも、私たちは一緒に一つのテーブルを囲む。

「人々が東からも西からも、また南からも北からも来て、神の国で食卓に着きます。」（ルカ13・29）

三位一体との交わりの喜びに参加するとき、私たちは互いに交わるだけでなく、共に神から養われる。神は成長し繁栄するために必要な水とすべての栄養素を、ネットワークを通して私たちに下さるので、私たちは暗闇でも共に生きることができる。キノコが一つの菌糸体からできるように、私たちは神の御手の中で創造されたのだ。神の恵みの中で、想像もつかないほど豊かな命と愛が与えられる。

「私が見たこと、聞いたことを、あなたがたにも伝えます。あなたがたも私たちと交わりを持つようになるためです。私たちの交わりとは、御父また御子イエス・キリストとの交わりです。これらのことを書き送るのは、私たちの喜びが満ちあふれるためです。」（ヨハネ第一1・3—4）

1　キノコのいいところは何ですか。

2　私たちのコミュニティが繁栄するためにお互いに何ができると思いますか。

3　人間は神に互いに依存するように創造されました。これはどのように私たちの神との関係を表すと思いますか。

梅干し

あなたの神の契約の塩を欠かしてはならない。

レビ2・13

東日本大震災の直後、私は避難所で救援物資のおにぎり、缶詰、お菓子などを配っていた。

「梅干しはありますか」と男の人が聞いた。

梅干し？お弁当に入っている塩辛い赤いあれ？

私はその時初めて、梅干しが日本人にとって大切な食べ物の一つであることを知った。

お弁当のごはんの真ん中には、よく梅干しが入っている。おにぎりの最もポピュラーな具は梅干しだ。おいしいからだけでなく防腐効果もあるそうだ。健康にもいいと聞いて、私の家でも作り始めた。大きな瓶の中に梅と赤ジソを入れ、岩塩で漬ける。その後ザルに並べて、バルコニーで太陽の下で干す。最近は私の子供のお弁当にも入れるようになった。

「朝夕に梅干し食べれば医者いらず」と言われている。梅にはクエン酸など体にいい成分が入っている。その梅を塩漬けすることで、梅干しができる。昔、梅干しはその薬効のために食べられていた。また、昔は塩分を取る方法でもあった。現代でも夏バテ予防に食べられることもある。

ネイティブアメリカンは、ずっと昔からヘラジカやバイソンの肉を塩漬けにして保存していた。今では牛や豚、七面鳥などの肉の塩漬けも一般的だ。特にビーフジャーキーはアメリカ人が大好きな物の一つだ。しかし私が知る限り、果物や野菜を塩で保存した歴史はない。

神はご自分の民と塩の契約を結ばれた。

「イスラエルの子らが主に献げる聖なる奉納物をみな、わたしは、あなたと、あなたとともにいる息子たちと娘たちに与えて、永遠の割り当てとする。それは、主の前にあって、あなたとあなたの子孫に対する永遠の塩の契約とする。①」（民数記18・19）

塩はイスラエルとの神の契約のしるしだった。この関係は破られない永遠に続くものだ。塩漬けにしたものは腐りにくくなる。塩はまた、清めと新たな始まりを表す。生まれたばかりの赤ちゃんは健康のために塩でこすられ（エゼキエル16・4）、エリシャはエリコの町を塩で癒した（列王記第二2・21－22）。まるで梅を塩漬けにして梅干しを作るように。

梅干しは、腐敗し破壊された世界に、命と希望をもたらす約束を思い出させる。私たちは、その強い塩味と酸っぱさを味わうたびに、私たちに対する神の永遠の守りの契約を新たに体験することができる。

1 梅干しと言えば、どんなことを思い浮かべますか。

2 塩は食べ物以外にどのように用いられますか。

3 塩はどのようなことを象徴していますか。

4 「腐敗し破壊された世界に命と希望をもたらす約束」とありますが、これについてどう思いますか。

酒

主は家畜のために草を、また人が労して得る作物を生えさせます。地から食物を生じさせてくださいます。ぶどう酒は人の心を喜ばせ、パンは人の心を支えます。油よりも顔をつややかにするために。

詩篇104・14―15

来日してすぐの頃、妻の友達が家に招待してくれた。

奥さんがたくさんの天ぷらを作ってくれた。ご主人が大きな瓶から日本酒を注いでくれた。

「乾杯!」

日本酒を飲むのは初めてだった。うまい！透明でウォッカのように見えたがそんなに強くはなかった。ほのかに甘く、アルコールをあまり感じない。天ぷらにぴったりだった。私が飲むたびに、ご主人は杯をいっぱいにした。

私は初めての日本で、初めての人に会い、初めての料理を食べ、初めての酒を飲んで、その時を楽しんだ。素晴らしい宴会で忘れられない一日だ。

世界のほとんどの地域には独特の酒がある。日本にはもちろん日本酒があるが、スコットランドのスコッチ、ポルトガルのポートワイン、メキシコのテキーラ、ロシアのウォッカ、ジャマイカのラム、ギリシャのウーゾ、アメリカケンタッキーのバーボン、フランスのボルドーワイン、スペインのシェリーなど、数えきれない。

また、ビール一つを取ってみても、ベルギーのベルギービール、スコットランドのスコッチエール、アイルランドのアイリッシュレッド、フランスのセゾン、ドイツのラガー、チェコのピルスナーなど様々なものがある。

楽しいパーティーやお祝いの席には酒が付きものだ。「乾杯！」「Cheers!」と言ってグラスをチリンと鳴らし、色、温度、香り、味と五感を使って楽しむ。

世界のあらゆる地域で、神は「人の心を喜ばせ」るために発酵飲料を与えられた（詩篇104・15）。それは神と天国のすばらしさの確かなしるしだ。

「万軍の主は、この山の上で万民のために、脂の多い肉の宴会、良いぶどう酒の宴会、髄の多い脂身とよくこされたぶどう酒の宴会を開かれる。[①]」（イザヤ25・6）

リヨンのエイレナイオス（一三〇〜二〇二年頃）は初期のクリスチャンだった。彼は物質は重要ではないというグノーシス主義を異端だと批判し、天国にはぶどう酒がいっぱいだと言った。

「ぶどうの木がそれぞれ一万本の枝を持ち、各枝に一万本の小枝があり、各小枝に一万本の芽があり、

各芽に一万本のぶどうが咲く日が来るでしょう。そのぶどうから25メジャーのぶどう酒ができます。そして、聖人の一人が一房のぶどうを摘むと、別の房が叫びます。『私のほうがおいしいです。私を選んでください。私を通して主を讃美してください。②』」

エイレナイオスがいた南フランスのリヨンはぶどう酒の産地だったので彼は天国のイメージをこのように表した。もし彼が日本に住んでいたなら、米と日本酒で表しただろう。

十字架の前の夜、イエスは弟子たちと一緒にぶどう酒を飲みながら、天国で再びぶどう酒を飲むと約束した。

「わたしはあなたがたに言います。今から後、わたしの父の御国であなたがたと新しく飲むその日まで、わたしがぶどうの実からできた物を飲むことは決してありません。」（マタイ26・29）

私たちが天国の宴会でテーブルの周りに集まって食べたり飲んだりするとき、ぶどう酒だけではなく世界の酒があるだろう。中でも日本酒は宴会にぴったりだ。日本酒は一升瓶と呼ばれる大きな瓶に入っている。一人ではなく大勢で飲めるサイズだ。

イエスの最初の奇跡は、カナの婚宴で大量の最高のワインを作ることだった。天国の宴会には、想像を超える量の日本酒の一升瓶もあるだろう。

1　お酒が好きですか、好きではないですか。どうしてですか。

2　パーティーやお祝いの席にはなぜ酒が欠かせないのだと思いますか。

3　天国の飲み物はどのような物だと思いますか。

4　食べ物、飲み物は、栄養のためだけではない価値もあります。酒の場合、それは何だと思いますか。

ご飯

夜昼、寝たり起きたりしているうちに種は芽を出して育ちますが、どのようにしてそうなるのか、その人は知りません。地はひとりでに実をならせ、初めに苗、次に穂、次に多くの実が穂にできます。実が熟すと、すぐに鎌を入れます。収穫の時が来たからです。

マルコ4・27―29

休暇になると長野県にある百年以上前に建てられたキャビンに泊まることが多い。野尻湖を一周する15キロのジョギングは毎日の楽しみの一つだ。半分くらい走ったところにある蛇口で、水を飲み、顔を洗う。辺りには水田が広がっている。大きな麦わら帽子をかぶり、長靴を履いた年配の女性が見

える。五月には女性は田んぼの泥沼に稲の苗を植えている。秋には、女性は背の高い稲穂を草刈り鎌で収穫し、肩にかけた大きなかごに入れている。このような光景は日本の各地で見られる。

日本では「食事をする」という意味で「ご飯を食べる」と言う。ライスではなくパンでも麺でも「ご飯」だ。朝ご飯、昼ご飯、晩ご飯。私にとってこれはとても面白い。アメリカで「morning bread, lunch bread, evening bread」とは言わない。「ご飯はいらないよ」と言われたので食事を準備しなかったら、「おかずは欲しいがライスはいらない」という意味だったということもある。

お米は日本語と文化に大きな影響がある。小学生は遠足で田んぼをよく見に行く。かご、かばん、ぞうり、縄、畳などは稲わらから作られる。田という漢字は日本人の名字や地名に多く使われる。本田、豊田、松田、山田、田中、吉田……。

主の祈りで「私たちの日ごとの糧を、今日もお与えください」(マタイ6・11)と祈る。アメリカでは「日ごとのパン」と言う。

日本でパンが食べられるようになったのは16世紀で、ポルトガルから入ってきた。外国のもので、

呼び方も外来語だ。日本で「日ごとの糧」というとき、むしろご飯（ライス）をイメージする方が自然なのではないか。クリスチャンの食べ物と言えばパンというイメージだけがあるとしたらそれは残念だ。日本そしてアジア各地では神様はお米を豊かに与えてくださっている。

だから「日ごとのご飯（ライス）を今日もお与えください」と祈ってもいい。ご飯は神からもたらされる物だ。神は命のご飯である。神のもとに来る者は決して飢えることがない。ご飯を通して、私たちは神の豊かな備えと恵みを日々知ることができる。一口ごとに、私たちは神に祈り、賛美することができる。

1 お米の思い出がありますか。

2 食べ物として、お米の好きなところは何ですか。

3 ご飯を一口食べるごとに、どのように神を賛美しますか。

干菓子

味わい、見つめよ。主がいつくしみ深い方であることを。

詩篇34・8

日本では食べ物の贈り物が多い。私たち夫婦は旅に出たとき、訪れた地域を友人たちにも「味わって」もらうためにお土産を買って帰る。また、人から各地のお土産をもらうことも多い。お土産によって、旅先でも相手を思っていたと伝えることができる

もうすぐアメリカ人の友人の結婚式がある。日本から何かユニークな物を送りたい。和三盆という独特の砂糖だけを使った特別な日のための干菓子にしようかと思っている。和三盆は四国の島々に自生する植物から作られる砂糖だ。普通のスーパーでは買うことができない。大きな粒で独特の食感があり、独自のほのかな風味がする。水分が含まれており色々な形にして固めることができる。これは干菓子の代表的なものだ。

このような豪華なお菓子を作っている店を訪ねると、色々な形のものがあり、好きなものを選ぶことができる。お祝いの気持ちを表す鯉。福の金魚。繁栄の稲穂。長寿の亀。成長の竹の子。成功の貝。メッセージカードにそれぞれの意味の説明を書いて、一緒に箱に入れよう。幸せのメッセージを形にするのだ。

甘いお菓子は、神が私たちに与えようとしている幸福や喜びを伝えてくれる。それを食べると、世界のすべてがうまくいくように感じる。「大丈夫だよ。心配しないで」というメッセージを伝える。なぜなら最終的に、神は善であり、支配しておられるからだ。「おいしい」は漢字で「美しい味」と書く。

美味しいものは、神の美しさを語るのだ。

「あなたのみことばは私の上あごになんと甘いことでしょう。蜜よりも私の口に甘いのです。」（詩篇119・103）

この壊れた世界で甘いお菓子は、神の栄光や神の喜びを伝えてくれる。一口ごとに、神の甘い慈しみを味わい、見つめる。

1 一番好きな甘い物は何ですか。

2 よくどんな食べ物を贈り物としてあげますか。

3 食べ物の甘さはどういうふうに神の慈しみを表しますか。

宴

心に楽しみのある人には毎日が祝宴。……
野菜を食べて愛し合うのは、肥えた牛を食べて憎み合うのにまさる。

箴言15・15、17

私たちは河原にシートを敷いて座った。川沿いの桜の木は満開だ。心地よい春の風が吹く。河原は花見を楽しむ人たちで溢れていた。

目の前に様々な食べ物が広げられた。鳥の唐揚げ、コロッケ、寿司、おにぎり、漬物、果物、みん

ながが何かを持ってきた。鍋に入ったおでんを持って来た人もいる。我が家からは妻が作ったチョコレートプディングとアスパラのベーコン巻きを持って行った。

花見やパーティーにはいつも食べ物がある。ともに食を楽しみ交流することを通して、私たちはより親しくなり、豊かになり、祝福される。ゆっくり話をしながら食事をすることによって、より良い関係を作ることができる。コミュニティとしてのつながりができる。食事は、恵みを分かち合い、つながりを祝う時だ。多くの家族にとって晩御飯はその日の出来事を話し分かち合う時間だ。食事は、体に栄養を与えるためだけのものではない。

食べ物を与えることは愛を示す方法でもある。生まれたばかりの赤ん坊はすぐに母乳を与えられることで母親との関係が強くなる。人間の遺伝子にこの本能が入っている。人間は食べることを通して、愛を知り、味わうことができる。ホモサピエンスの「サピエンス」は、「知っている」という意味だが、「味わう」という意味もある。ホモサピエンスは「知っている人」だけでなく「味わう人」だ。

聖書には神が食べ物を与えることを通して愛を示すことが何度も書かれている。

「私の敵をよそにあなたは私の前に食卓を整え、頭に香油を注いでくださいます。私の杯はあふれていています。まことに私のいのちの日の限り、いつくしみと恵みが私を追って来るでしょう。私はいつまでも主の家に住います。」（詩篇23・5―6）

神はダビデの敵をよそに食卓を整え、杯を満たした。荒野で絶望していたエリヤのためにパンを焼いた（列王記第一19・5―6）。荒野にいるイスラエルにマナを与えた。イエスはカナの婚礼で最高のぶどう酒を豊富に作って、そして今日私たちのために聖餐式のテーブルにパンとワインを用意して下さっている。神は食事を通して私たちへの愛を示してくださっている。

誰かとともに食事をするとき、また、誰かのために食事を用意しもてなすとき、そこには神の愛が反映される。相手を思いやり、必要を満たすためのテーブルには優しさ、つながり、受け入れ、喜び、愛が並んでいる。互いの距離は近くなり、神の素晴らしい恵みをともに味わう。そして、私たちへの

神の愛を思う。私たちは神の豊かな永遠の栄養をいただき、天国の雰囲気を体験する。天では、すべての宴の中で最高の宴がすでに私たちのために用意されている。その香りが漂ってくるのを感じないだろうか。

「子羊の婚宴に招かれている者たちは幸いだ。」（黙示録19・9）

天国で子羊の婚宴が行われると書かれている。子羊であるキリストを賛美する栄光の祝宴だ。その会場は、石で作られた大きな広間だと想像する人がいる。中東の屋上の心地良い部屋を想像する人もいる。しかし、私は外での集まりを思い浮かべる。都の中央をいのちの水の川が流れている。私たちは河原にシートを敷いて座る。川沿いのいのちの木は満開だ。聖霊の風が吹く。すべての国民、部族、民族は皆心を一つにして喜びと真心をもって最高の料理を味わう。

日本語の「味わう」という動詞には「体験する」「深く感じ取る」という意味もある。「美しい景色

を味わう」「音楽を味わう」「苦しみを味わう」など、英語ではそのような表現はほとんどない。私たちは最高の宴で用意された最高の料理を味わい、神の素晴らしい恵みを味わい、喜びを味わう。

私たちは日本の食事を楽しみながら、その素晴らしい宴が始まるのを心待ちにしている。そこに並ぶ料理はどんな味だろう。それは素晴らしい恵みの味に違いない。

神の愛を分かち合う食事の喜びが天で行われるように、地でも行われますように。私たちの日ごとの糧を今日も与えてください。

1 ごちそうにどんな思い出がありますか。

2 食べ物をもらって愛されていると感じたことがありますか。また、誰かに愛を示すために食べ物をあげたことがありますか。

3 「恵みの味」とはどういう意味だと思いますか。

4 子羊の婚宴はどのような宴だと思いますか。

荒野の中で

お腹がすいた

あなたがたは、われわれをこの荒野に導き出し、この集団全体を飢え死にさせようとしている。

出エジプト16・3

「お腹がすいた！何か食べたい」と私は言った。

「だめよ。今食べたら夕食の分がなくなる」と妻のアビは言った。

私たちは、カリフォルニア州のシエラネバダ山脈にいた。地球上で最も美しい風景の一つにいたが、

私は食べ物のことしか考えていなかった。次の道路まではまだ百五十キロ、さらにその道路を三十五キロ行かないと食べ物を得られない。

「着いたら何を食べたい？」とほんの少し歩いて、聞いた。

「食べ物の話やめて。考えたくない。」

私はアビを無視した。「僕はピザだな。でっかいソーセージピザ、三枚。」

その日はすでに三十キロ歩いたがさらに十五キロは進みたかった。この山道での四十五キロは特に辛い。軽度の高山病の症状を感じながら高い峠を越え、氷と雪の崖から落ちないようにアイスピッケルを使わなければならなかった。昼過ぎには、溶けた雪に一歩ごと足を取られた。谷の雪解け水で荒れ狂う川を渡った。

私たちはメキシコからカナダまでカリフォルニア、オレゴン、ワシントン州を通るパシフィック・クレスト・トレイル（ＰＣＴ）を辿っていた。六か月の予定で、すでに二ケ月経っていた。食べ物は重いのであまり持ち歩きたくはなかった。水はさらに重い。最低限の量でも、その重さを一歩ごとに

肩や腰にずっしりと感じた。私はいつも食べ物と水の存在と、同時に不足を感じていた。食べ物への欲求そして依存をこんなに強く感じたことはなかった。お腹が空いていつもイライラしていた。

荒野でのイスラエル人が思い出された。私たちの旅は六ヶ月だが彼らの旅は四十年だった。彼らはいつも食物と水を求めて叫んでいた。[1] 神は、食べ物や水を彼らに与えるだけではなく、臨在のパンで応答した。


「机の上には臨在のパンを置き、絶えずわたしの前にあるようにする。[2]」（出エジプト25・30）

イスラエルの人々は安息日ごとに十二の部族を表す十二のパンを焼き、純金の燭台の光のもとに置いた。それは神の臨在を表す神のともしびだった。天から与えられたパンであるマナが入った契約の箱も近くにあった。神は、食物を通していつも共にいることを明らかにした。

イスラエル人は飢えの不安を抱えながら荒野を進み、自分たちがいかに神に頼っているかに深く気

づいた。荒野で食べ物は神の恵みだけではなく、臨在も表した。後にイエスは、自分自身をこの臨在のパンに結びつけた。

「ダビデと供の者たちが空腹になったときに、ダビデが何をしたか、どのようにして、神の家に入り、祭司以外は自分も供の者たちも食べてはならない、臨在のパンを食べたか、読んだことがないのですか。……あなたがたに言いますが、ここに宮よりも大いなるものがあります。」（マタイ12・3―4、6）

イエスは神が私たちとともにおられることを示す方である。食べ物はイエスを指し示している。いのちのパンであるイエスをいただくことで神との交わりに入る。

「わたしの肉を食べ、わたしの血を飲むものは、わたしのうちにとどまり、わたしもその人のうちにとどまります。」（ヨハネ6・56）

私たちはイエスのうちにとどまり、イエスは私たちのうちにとどまる。食べることで神の臨在を感じる。神の存在は、バックパックに入った食べ物の存在よりも確かなものだ。私たちから離れることはない。神はいつも私たちとともにいる。

パシフィック・クレスト・トレイルを歩きながら、改めて神の存在を感じ、心は満たされていた。お腹はペコペコだったけれど。

1 今までに最もお腹が空いたのはどんな時でしたか。

2 食べ物が不十分で寂しかったことがありますか。食べ物をもらって愛されていると感じたことがありますか。

3 文章中には食事を通して神の臨在を示すいくつかの例がありました。食事を通して、神の臨在を感じたことがありますか。

のどが乾いた

彼らは飢えず、乾かず、炎熱も太陽も彼らを打たない。彼らをあわれむ者が彼らを導き、湧き出る水のほとりに連れて行くからだ。

イザヤ49・10

空っぽだった。一つ一つ持ち上げてみたが、四十個すべて。前の町で会ったハイカーは、トレイルエンジェルがここに巨大な水のオアシスを作ってくれたと言っていた。太陽の日差しは強烈で、砂漠からの熱風が吹いた。茂みやサボテンは短かすぎて影が全くない。

妻のアビと私はカリフォルニア州のモハーベ砂漠の真ん中にいた。自然に流れる水が全くない。しかし、カナダへ行くためには、メキシコから続いているパシフィック・クレスト・トレイル（ＰＣＴ）を辿って、この砂漠を渡るしかない。水の不足を補うために、トレイルエンジェルと呼ばれる地域の人たちが、ハイカーのために水を運んでくれている。

私たちは気を取り直して歩き続けた。仕方がない。この先にオアシスがあるかもしれない。

一時間以上歩くと、遠くに、たくさんのペットボトルが見えた。吹き飛ばされないように、茂みに結びつけてあった。近くまでいって見ると、ボトルは風に動かれて浮いていた。横になっているものもあった。全部空っぽだ。

不安になりながら歩く速度を上げた。その後も、空っぽのペットボトルを何度か見た。私たちは歩くのをやめた。これはまずい状況だ。ちょうど一週間前に私たちは脱水症状になり、まだ体が弱っていた。唯一見つけた池には、濁った水の真ん中で馬が死んでいたため、そこで必要な水を汲むことができなかった。

私はバックパックを地面に置いた。ガイドブックによると、次の水源はさらに六十キロ先だ。水なしでそこまで行くのは無理だ。私は温度計を持っていなかったが、三十八度を超えていただろう。汗がすぐに蒸発して、身体中が塩だらけになった。地面には砂、サボテン、そしていくつかの茂みしかなかった。この暑さで生き物はほとんどいなかった。遠い地平線上に建物や道路などは見えなかった。

地図を見た。約三十分離れたところに、たまに水があるという信頼できない水源があった。往復一時間を歩くのはつらかったが、他に選択肢はなかった。今、水が必要だった。アビとバックパックをサボテンの陰で待たせ、水フィルターを持って探しに向かった。

なぜ私たちはこんなに水が必要なのだろう。水なしではどんなに頑張っても生きられない。照りつける太陽の下にしばらくいただけで、もうだめだ。体が壊れ始めて、そのままでは、やがて死ぬ。生きるために水は欠かせない。命のための必需品だ。

「わたしに水を飲ませてください」（ヨハネ4・7）とサマリアの井戸でイエスは言った。「わたしは乾く」（ヨハネ19・28）と十字架でイエスは言った。砂漠でイスラエルの民も乾いていた。詩編では谷

川の流れを慕いあえぐ鹿が描かれている。聖書の中には水や渇きのイメージがたくさんある。私はそれらを切実に感じた。

食べ物と同じく水の必要性は、神に寄り頼んで生きるとはどういうことかについて、私たちに何かを教えてくれる。この世にある都市は水の周りに建てられている。聖書によると天国には川が流れているそうだ。地獄のイメージには水が全然ない。

30分ほど歩いて行くと、牛の鳴き声が微かに聞こえた。嬉しくなった。牛がいるところには必ず水がある。しかし、行って見ると牛の群れが水の真ん中に立っていて、そこは池というよりぬかるみだった。水は全然見えなかった。その上、牛のフンもいっぱいだった。いったいどうしてこの辺りで唯一の水源をトイレにするんだ。

牛を驚かせたり、靴を汚したりしないように、ゆっくりと前に進んだ。そして、手で泥の中に穴を掘った。汚水が一杯のトイレに手を入れたようだった。

この「トイレ」にフィルターを入れ、ポンプで汲み上げてみたが、あっという間に詰まってしまった。

全身の力を込めてハンドルを押した。水筒に溜まった水は怪しげだった。何も浮かんではいなかったが、黄色かった。恐る恐る一口飲んだ。生暖かくて初めての味だった。トレイルで私は泥水を飲んだこともあるがそれとは違う匂いがした。しかし、やむを得ずさらに飲んだ。

それから、アビの分を汲み上げた。一リットルは欲しかった。記憶のはるかに遠くの地で、私は水道の蛇口をひねってきれいな水をいくらでも飲んでいた。そのような場所は本当に存在したのだろうか。今ここで私たちは牛の糞尿から取った水を飲む。

水をどこから取って来たかを説明したとき、アビは目を丸くした。アビは水筒のふたを開けて、生暖かい黄色い水の匂いを嗅いだ。

「これを飲んだの?本当に?」アビは聞いた。

「死にはしないよ…たぶん」と私は言った。

「臭い」とアビは言って、飲んだ。「うう、牛から直接飲んでるみたい。」確かにそうだった。アビは半分飲んで、そして私に渡した。とにかく、飲めたことに感謝した。もう一度地図を見て、一晩中寝

ずに歩けば、翌朝までに次の泉に着くことができると分かった。水を飲み終え、私たちは、次の水を求めて、歩き始めた①。

1 今までに最も喉が渇いたのはどんな時でしたか。

2 「渇く」という語は「心の渇き」や「愛に渇く」など、喉の渇き以外にも用いられます。なぜそのような比喩的な表現ができるのでしょうか。

3 山の上の説教（山上の垂訓）で、イエスは「義に飢え渇く者は幸いです。その人たちは満ち足りるからです」（マタイ5・6）と言いました。ここで「渇く」とはどういう意味ですか。

あとがき

良寛（一七五八〜一八三一）は江戸時代の僧侶で詩人である。良寛はこの漢詩で私たちに問いかけている。なぜ人はご飯を食べるのだろうか。この質問は一見愚かに見えるが私たちの根本的な性質を問うている。これについて考えると喜びの道を見つけることができると良寛は言う。

誰家不喫飯
為何不自知
伊余出此語
寺人皆相嗤
爾与嗤我語
不如退思之
思之若不休
必有可嗤時

誰家不喫飯
為何不自知
伊余出此語
寺人皆相嗤
爾与嗤我語

ご飯を食べない人はいない。
しかしどうしてなのか誰も知らない。
このことを私が言うと
皆あざ笑う。
私の言葉を笑うより
これについて考えた方がいい。
ずっと考え続ければ
笑える時が必ず来るだろう。

ご飯を食べない人はいない。
しかしどうしてなのか誰も知らない。
このことを私が言うと
皆あざ笑う。
私の言葉を笑うと

不如無自欺　自分自身を欺くことになる。
若得無自欺　もし自分を欺かないでいれば
始知我語奇　私の言葉の不思議さが分かる。

誰家不喫飯　ご飯を食べない人はいない。
為何不自知　しかしどうしてなのか誰も知らない。
伊余出此語　このことを私が言うと
寺人皆相嗤　皆あざ笑う。
寺人嗤尚可　笑ってもかまわない。
我亦欲嗤之　私もまたこれを笑いたい。
嗤々倘不休　ずっと笑い続ければ
直到弥勒時①　すぐに弥勒の時が来るだろう。

良寛は、ご飯を食べない人がいないのはどうしてかという問いと、弥勒菩薩《みろくぼさつ》をつなげた。弥勒は、

時の終わりに来て、悟りを開くことができない人々を助ける菩薩だ。

この問いに、私はクリスチャンとして、人を神に導くためだと答える。ご飯を食べることは、三位一体の子なる神様であるイエス・キリストに私たちを導く。キリストは完全な神であり完全な人である。彼は喜びと笑いに満ちていて、すべての喜びと笑いの源だ。毎日、毎食、私たちの舌と腹を通してこの愛が伝えられる。たとえ私たちの心が傷ついていても。たとえ受け入れることができない時でも。私たちが食べ物なしには生きられないのは美しいことだ。私たちが神に頼っているという事実は神の私たちへの永遠の愛と慈しみを明らかにする。

イエスは「わたしは命のパンである」と言った。神の手から糧をいただくとき、私たちは神とコミュニケーションをする。食べ物を通して、賛美し、祈り、神のメッセージを聞く。

この小さな本を通して、日本に与えられている神の恵みを味わっていただけたら幸いだ。世界には経験しきれないほどのスタイルやレシピがあるが、語られるメッセージは同じだ。神は確かに私たち一人ひとりから遠く離れていない。神はいつも私たちを生かしてくださる。日本のおいしい料理は、

日常生活の中で詩人とともに神を賛美し、歌うように誘う。

「味わい、見つめよ。主がいつくしみ深い方であることを。」（詩篇34・8）

感謝

「好きな日本料理は何ですか」と何回も聞かれました。しかし、いつも答えに困ります。好きな料理がたくさんあります。18年前に来日して以来、多くの友達が色々な食べ物を教えてくれました。人生を分かち合い、たくさんの経験を一緒にできて、心から感謝します。私たちは神の素晴らしい贈り物を何度も味わい、喜ぶことができました。

特に、コミュニティーアーツ東京とグレースシティ東京の人々に感謝しています。何度も一緒に食事をしました。皆さんは日ごとのご飯を通して、神の美しさと慈しみを示してくれました。心から感謝いたします。

美の香り

わたしは生ける者の地に美を与える。

エゼキエル26・20（著者訳）

炊き出し

被災地での食事は大抵ひどいものだった。被災者も支援活動をする者も、缶詰やインスタント食品しか食べていなかった。確かにそれで生き延びることはできるが、食べる喜びに欠けていた。物資の

配達だけでは足りないと私たちは感じた。

東京の自宅の近所の食料品店が肉や野菜を寄付してくれた。レストランが器具を貸し出してくれた。被災地に行くのが初めての十数人がボランティアに行ってくれることになった。その中にはプロの料理人もいた。被災地で炊き出しをするのは初めての経験だ。

妻のアビが先導し、何台ものトラックやバンが石巻市渡波町の一角に到着した。そこはがれきが取り除かれており、人が近くにいると分かった。そこは指定避難所以外の場所で生活している人たちが多いところだった。自宅の二階や、会社で過ごしている人たちもいた。

ひどい臭いがしていた。流されてきた魚や海藻などが太陽の下で腐っていた。ゴミは山のようになっていた。簡易トイレも家々のトイレも溢れていた。トラックのドアを開けるたびに、それらの悪臭に襲われた。破壊と悪臭。地獄のようだとアビは思った。圧倒されそうになりながら、トラックから荷物を下ろした。

発電機をつけ、炊飯器のスイッチを入れた。プロパンバーナーを点火し、大きな鍋で水を湧かした。

テーブルを設置し、肉と野菜を切った。豚肉、にんじん、大根、しいたけ、こんにゃく。今回のメニューは豚汁だ。

材料を鍋に投入すると、美味しそうな香りが漂い始めた。それは地震後初めてあたりに漂った良い香りだった。

香りに誘われて周りの建物から人々が出てきて、並び始めた。十人。二十人。五十人。百人。ボランティアたちは心配し始めた。「どうしよう、まだ二時間はかかるのに。」

「大丈夫」とアビは言った。「久しぶりの良い香りを、しばらく楽しんでもらいましょう。」

一緒に来たグループの中には音楽家もいた。アビは彼に提案した。「こんな場所でやりにくいとは思うけど、ちょっと演奏するのはどうでしょう。」泥と瓦礫の中、長い列ができていた。音楽家は尺八を吹き始めた。彼は吹きながら、行列に沿って歩き、泥と水たまりを避けながらゆっくりと進んだ。

尺八の調べがその辺りに満ちた。鍋から漂う香りとともに、その響きは辺りの悪臭を忘れさせた。そこは破壊のない、違う世界のようだった。

ボランティアの作る料理は単なる食糧ではない。音楽は単なる暇つぶしやエンタテインメントではない。これらは命を与えるものだ。辺りに漂っていたのは、確かにそこにある希望の香りだった。それは美の香りだった。

香りは一時的なもので、すぐに消えてしまうものである。しかし、被災地で過ごせば過ごすほど、その必要さを切に感じた。美の香りは、黒い津波に襲われた後にやってきた絶望の波から人々を守る防波堤となった。

原注

漬け物

1 Sarah Hinlicky Wilson, "Theology and a Recipe," vol. 1, no. 4, Winter 2019. Used with permission.

2 Nicander, The Poems and Poetical Fragments, ed. & trans. A. S. F. Gow and A. F. Scholfield (Cambridge: Cambridge University Press, 1953), 146–149.

梅干し

1　参考「イスラエルの神、主が、塩の契約をもって、イスラエルの王国をとこしえにダビデとその子孫に与えられたことを、あなたがたが知らないはずはない」（歴代誌第二13・5）。「穀物のささげ物はみな、塩で味をつけなさい。穀物のささげ物に、あなたの神の契約の塩を欠かしてはならない。あなたのどのささげ物も、塩をかけて捧げなければならない」（レビ2・13）。エゼキエル43・24。

酒

1　参考「見よ、その時代が来る。—主の言葉—そのとき、耕す者が刈る者に追いつき、ぶどうを踏む者が種蒔く者に追いつく。山々は甘いぶどう酒を滴らせ、すべての丘は溶けて流れる」（アモス9・13）。また申命記11・14、ヨエル2・24、3・18。

2　Irenaeus, Against Heresies, Book V.33.3, in Robert M. Grant, Irenaeus of Lyons (New York: Routledge, 1997), 178-179.

お腹がすいた

1 「あなたがたは、われわれをこの荒野に導き出し、この集団全体を飢え死にさせようとしている」（出エジプト16・3）。「いったい、なぜ私たちをエジプトから連れ登ったのか。私や子どもたちや家畜を、乾きで死なせるためか」（出エジプト17・3）。

2 出エジプト35・13、39・36、レビ24・5－9。

のどが乾いた

1 この話の続きは『Cow Pie Water: 2,659 Miles on the Pacific Crest Trail from Mexico to Canada』（pp.65-69）に書いています。アマゾンで購入できます。

あとがき

1 弥勒は人を救うために未来に現れると信じられている未来仏である。『良寛全集』第五版上巻、東郷豊治編著、東京創元社（1975）p.186-188.

Photo: Vince Wallace

ロジャー・W・ラウザー　Roger W. Lowther

アメリカ・ボストン出身。コミュニティーアーツ東京のディレクター。グレースシティーチャーチ東京の「フェイス&アート（信仰と芸術）」のディレクター。宣教師として活動する芸術家のグローバルネットワーク「The MAKE Collective」のディレクター。アメリカのジュリアード音楽院にてパイプオルガン演奏修士、コロンビア大学にてエンジニアリング応用物理学学士を取得。現在リフォームド神学校修士課程で学んでいる。五枚のアルバムをリリースし、コンクール受賞も多数。二〇〇五年に来日し、現在家族と共に東京の月島に在住。登山、マラソンが趣味で各国へ出かけている。

www.rogerwlowther.com

読者の皆さんへ

『恵みの味』を読んでくださってありがとうございます。ご感想を Amazon のレビューや SNS（#atasteofgraceinjapan）などにぜひお書きください。思いを分かち合っていただけると嬉しいです。

Amazon の『恵みの味』のページから「カスタマーレビューを書く」を押し、レビューを書くことができます。

私のウェブサイト www.rogerwlowther.com からニュースレターに申し込むと私に直接メッセージをお送りいただけます。他の本や音楽のアルバムのプロジェクトについてもお読みいただけます。

皆さんからのメッセージを楽しみにしています。

著 書

『砕かれた葉―アメリカ人が見つけた芸術・生活・信仰』
（いのちのことば社、2021）
［英語版］*The Broken Leaf: Art, Life, and Faith in Japan* (Wipf and Stock, 2019)

『美の香り』（コミュニティーアーツメディア、2021）
［英語版］*Aroma of Beauty* (Community Arts Media, 2021)

『ピアノのピッピーと黒い波』
（コミュニティーアーツメディア、2020）
［英語版］*Pippy the Piano and the Very Big Wave* (Community Arts Media, 2020)

恵みの味

2024年5月27日　発行

著　書　　ロジャー・W・ラウザー
日本語協力　伊藤敦子

発行所　　コミュニティーアーツメディア
www.communityarts.jp
info@communityarts.jp

聖書　新改訳 2017 © 2017 新日本聖書刊行会

カバーデザイン　リー・バスフォド
写真　　　　　　ティム・バーダ

www.rogerwlowther.com

ISBN　978-1-953704-35-1　HARDCOVER
ISBN　978-1-953704-36-8　PAPERBACK